광주리 속 빛나는 찰나라도

광주리 속 빛나는 찰나라도

발 행 | 2024년 02월 16일
저 자 | 공효원
펴낸이 | 한건희
펴낸곳 | 주식회사 부크크
출판사등록 | 2014.07.15(제2014-16호)
주 소 | 서울특별시 금천구 가산디지털1로 119 SK트윈타워 A동 305호
전 화 | 1670-8316
이메일 | info@bookk.co.kr

ISBN | 979-11-410-7221-6

www.bookk.co.kr

광주리 속 빛나는 찰나라도

공효원 지음

목록

광주리에 담아온 순간처럼

시인은 서투른 생각을 담아내는 화가이자 음악가이자 세상의

예술가입니다.

시를 담아내는 어부이자 땅을 갈구고 시조를 추수하는 농부

입니다.

나 또한, 그 중 하나의 사소한 시 쓰는 사람일 뿐입니다.

이번, 시를 짓는 과정은 초보 요리사의 아마추어 같을지 모

르겠으나, 저의 소박한 코스 요리를 즐기시는 여러분이 되시

길 바랍니다.

깊은 소망을 적으며, 광주리에 담아온 음식들을 탁자에 내옵

니다.

사랑 상실 회상   5

사랑해봤자

사랑해봤자 뭐합니까,

당신은 장미 꽃의 붉은 빛도,
값비싼 선물도 모두 무산시키는데.

달콤한 샴페인의 이벤트도,
포도주의 온화한 빛도 무시하는데.

사랑해서 아낌없이 쏟은 것들은
돌이켜보니 볼품없는 낭비였습니다.

광주리 속 빛나는 찰나라도

-서시-

저 광주리 속 우리의 순간들이
하염없는 한 조각의 유리조각 되지 않았을까

서로가 있는 시간 속에서도
너를 잃을까하는 불안 때문에 결국 널 깨부셨었지

혹여나 그런 나로 우리가 산산조각 난 건 아닐까
아름답게 울리던 빛나는 추억들이

광주리 속 빛나는 찰나라도
누구에게는 인생의 한 순간이 될 수 있기를

사랑 상실 회상   7

안식처

나의 굳은 새파란 마음을 달래줄 안식처
넓은 세상 홀로 나를 안위해줄 따뜻할 공기

숲 속의 싱그러움은 나의 피부에 두드러기를 내었다
잔디는 나의 살갗을 녹이고 암석은 생채기를 내었다

우주의 관대한 마음은 나의 육체를 분산시켰다
혜성과 은하수는 나의 눈물을 머금고 돌아섰다

내가 안긴 너의 품은 벽난로의 장작과 같았다
나를 어루만지면 유골이 녹아 너에게 스며들었다

나의 굳은 새파란 마음을 달래줄 안식처
넓은 세상 홀로 나를 반겨줄 공간은 없었다

주기도문

-하나님께 드리는 고백-

하나님, 사랑은 물고기에요
한번, 방심하면 바다에 표류하는 존재에요

그러다, 두둥실 바다를 배영하다
해변가 누군가의 따뜻한 손길을 받겠죠

하긴, 차디찬 나의 손 마디마디보다
소금을 먹으며 사는 바다의 고약함 더 낫겠죠

그치만, 부디 이 고사리 손으로 기도합니다
내 물고기가 나의 마음 속 강가로 돌아오게 하옵소
서

사랑 상실 회상   9

다녀오겠습니다

다녀오겠습니다,
석달이 지나 흔적이 사라진 사랑의 색깔은
비운의 염전을 빼닮은 짙은 푸른회색
핏기 없이 딱딱하게 굳은 석회암의 견고함
다복의 원천을 까먹을 진한 빨강
가벼운 인사는 무거운 고백이 되고
다시 돌아올 때 안식처는 불청객의 안녕이 된다
새로운 인사의 어색한 손은 상천의 새끼새
목소리의 우아함은 말라비틀어진 버섯
그저 나뭇잎에 지나지 않는다
다녀오겠습니다는 돌아오겠다가 아닌
마음을 저 바다로 떠나보내겠습니다였다

내가 죽더라도

당신의 독한 마음이 품은 독에 맞은 나는
서서히 죽어가며 꽃을 피우겠지요
마음 속 독거의 길을 펼쳐
한평생 당신의 거름이 되겠습니다

사랑은 사시사철의 향기가 되어
마음의 풍요로운 풍년이 되어

당신의 악한 마음의 비수 끝에 찔린 나는
서서히 죽어가며 나를 피우겠지요
마음 속 사모의 길을 펼쳐
한평생 당신의 인생을 걷겠습니다

사랑 상실 회상   11

처녀와 장사꾼

장사하는 장사꾼 사랑하는 처녀
이리저리 핑계 대며 고구마를 내어준다
장사꾼은 처녀에게 사랑의 돌파구
고구마는 소리 없이 처녀 마음 내어준다

해가 지고 어느새 찾아온 어스름
하루정도 묵고 가라 사랑방을 내어준다
장사꾼은 처녀에게 사랑의 속삭임
사랑방은 소리 없이 암야 어둠 걷어준다

광주리 속 빛나는 찰나라도

마음 심

심(心)의 작품은 하나의 나뭇가지

뻗친 가지 위 자리 빈 나뭇잎이 요란한 미소를 짓는
다

대나무처럼 곡예를 하며 간신히 지키는 세가지 요령

인내와 사랑과 배려의 수원

자신을 주춧돌로써 짓밟아 올라가는 당신을 위해

기다리며 고초하고 슬피 사랑하여 겸유하게 배려해
라

세개의 이파리가 꽃봉우리의 우암함을 뽐내다가

열매를 결실하여 인생의 번뇌를 잠재울것이니

현란한 백년 인생의 짧은 순간의 공간을

정원의 잡초가 아닌 우림의 나무로 꾸미길

사랑 상실 회상   13

漁旒

바닷속 하찮은 존재들은 기관이 다르다

몸 속 구석구석의 모양이 다르다
겉의 생김새로 자신들을 숨기며 살아간다

어류라는 망토를 뒤집어쓰고 서로 잡아먹는
다
작으면 먹히고 크면 살아남는다
그것이 물고기의 법칙이다

강약약강은 그저 바다의 법률일 뿐이다

광주리 속 빛나는 찰나라도

밀짚모자

햇빛의 애틋함은 풍년의 열락

계곡의 음률은 세상 만물의 기도

밀짚은 꼬아 챙을 세운 밀짚모자

옅은 여름의 기쁜 장조는 요행

시골 저녁의 모닥불에 옹기종기

고봉밥 위 묵은지는 허기의 배터리

할머니 약속은 보약의 손길

강호의 바람결은 아침결의 시계

하늘에 비친 밀짚모자는 바다의 팽이

모호한 추억의 경계는 지평선

심장 박동의 느긋한 박자는 마음의 박수소리

사랑 상실 회상   15

허수아비

아가씨, 저는 사실 참새를 매우 좋아하걸랑
아가씨 미소 보자며 매일 쪼는 참새 발길질하죠
밭농사하시는 아버진 건강하신지,
하긴, 지푸라기 벙어리보다 아버지가 소중하시겠지
요

그치만 이 낡은 모자에 새로운 건초 덮어
사람의 숨결이 나의 살갗을 만들어내길
매일 하늘의 하나님께 간절히 기도하걸랑
썩은 지푸라기의 심정 조금은 아껴주시겠지요

광주리 속 빛나는 찰나라도   16

언니야

언니야, 사랑은 물결이다
때로 바다에 갇히지만 언제나 찾아오거든
그물에 딱 걸려 오는 순간에
언니가 그물을 건지면 되는거다

언니야, 사랑은 바람이다
산들바람 타고 내려오는 봄길을 따라오거든
언니의 손 사이 걸린 순간에
정열의 걱정이 마음에 일어난다

언니야, 걱정 안해도 된다
혹여나 겨울바람 따라 산악을 향해 떠나거든
어딘가 들판에서 꽃을 피울거다
새파란 꽃들이 평야에 펼칠거다

사랑 상실 회상　　　　　　　　17

상사화

이루어질 수 없는 사랑이란
없는 것으로만 알았던 어리석음

우물도 밑을 내미는
무모한 사랑은 결국 가뭄에 목메다

사랑의 풍년은 영원하지 않고
기교에 넘어간 어리석은 나는
무도회의 만찬을 즐기듯
감정의 갈증을 사랑으로 채우다
결국 사랑의 염발로 시들었다

광주리 속 빛나는 찰나라도

매우(梅雨)

초여름 내리던 미처 얼지 못해 떨어지는 빗방울들
붉게 익은 와인 같은 매실에 투둑 떨어진다

저 달콤한 감미에 초여름의 추억을 한잔 담아
피로와 근심을 내려놓고 빗방울로 쓰려내려 가도록

저 빗물이 강에 흐르고 바다로 흘러가
너의 모든 힘들었던 매 순간에 남은 흉들을 지워주
기를

암담한 모습이 아닌 순결하고 깨끗한 네가
거울 앞모습을 내며 저 유리그릇 투명하길 바라며

맥풍(麥風)

보라색의 연한 빛을 띠는 보리가 한 잎 자라 있다
그 위를 쓰다듬어주듯 바람이 쉬이- 지나간다

봄 힘겨운 고난을 버티고 초여름 태어나
앞으로 살아가 자연에서 밝게 빛나길 바라며

저 낮의 빛과 밤 위 별들의 소망을 모아
바람 한번 훑고 미소를 지으며 스친다

앞으로의 여름의 온기와 장마 기다리며
이슬 한 점 날려 오늘도 곱게 있기를 바란다

광주리 속 빛나는 찰나라도

나는 꽃이 싫거든

나는 꽃집의 꽃향기에 알러지를 내거든
마치 바다의 짜고 고약한 물을 품은 듯
엄동설한의 엄한 눈발을 고스란히 안은 듯

나는 꽃다발의 꽃들에 성화를 내거든
성가신 생채기에 들러붙은 파리떼가 모인 듯
오리무중의 짙은 안개가 한이 되어 쌓인 듯

꽃은 항상 면모만 아름답게 꾸미거든
기교를 부려 나비를 꼬셔 자신을 가꾸거든

꽃은 항상 자신을 가꾼 오예물이거든
농간의 꾀로 사람을 속여 자신을 속이거든

사랑 상실 회상   21

베였다 아프다

종이에 손가락이 베였다
살갗이 찢어졌지만 피는 나지 않는다
밴드를 붙이지만 상처는 살갗을 후빈다

당신에게 마음이 베였다
사랑이 찢어졌지만 나는 울지 않는다
친구를 만들지만 상처는 상처를 후빈다

또 베였다 또 아프다
감각은 바보같이 상처를 기억하지 못한다
다시 한번 생채기를 내 몸에 새긴다

또 베였다 또 아프다
마음도 바보같이 상처를 기억하지 못한다
다시 한번 쓰라린 맘을 내게 새긴다

광주리 속 빛나는 찰나라도

줄다리기

사랑은 하나의 줄다리기다
서로가 팽팽한 줄을 잡아당긴다
때로 한쪽이 치우치기도 하고
줄이 느슨해질 때도 있다

그러다 한 명이 놓아버리면
한명의 몸이 쏠려 넘어지게 된다
때로 내가 놓아버리기도 하고
줄이 끊어져 버릴 때도 있다

사랑 상실 회상   23

손가락

나는 나의 손가락이 제일 싫다
열마디의 죄악을 품은 모습이 역겹다
어쩌면 그저 죄덩어리일지도 모른다
손가락으로 판 나의 함정을 보며 탄식한다
그 손가락으로 또 턱을 괸다

오른손이 일을 저지를 때
왼손은 그저 같이 손가락을 움직인다

그래서 나는 손가락이 싫다
그래서 사랑도 손으로 떠나보냈나보다

광주리 속 빛나는 찰나라도

미아

길 잃은 미아는
개나리가 만발한 다리 아래로
훌쩍훌쩍 돌을 넘어간다

길 잃은 마음은
괴꽃들이 만발한 그림 아래로
훌쩍훌쩍 매일 넘어간다

꽃밭의 우아한 자태는 구절초의 눈물
꽃다발의 은은한 향기는 꽃사과

사랑 상실 회상   25

개회나무

저는 1980년의 옛사람이 아닙니다
10년도 태어난 미숙한 어린 애입니다
유년기의 원피스 입은 바닷가 지나
꽤 성숙한 인격자로 새로 태어나
청초의 난초를 피워나가길

어리숙한 사랑을 밀고 개회나무 아래
나의 고사리 손으로 쓴 친필을 내줍니다

그러다, 사랑의 수마를 견디지 못하여
나의 차디찬 발로 내 마음을 밟습니다

채웠다 아주 깊이

나를 채워주던 너가 사라졌다
기둥이 망가진 나는 기우뚱 무너졌다

누군가 다가와 나를 채워주었지만
이내 작은 결함이 나를 무너뜨렸다
나를 채울 사랑의 벽돌은 너밖에 없었다

나를 채워주던 너가 사라졌다
무너진 내가 자신을 채우다 사라진다

사랑 상실 회상

담수어

어느 옛날의 마음 속 민물가가 있었다
민물가의 작은 담수어는 버들붕어
버들붕어는 사랑의 주류를 타고
척애를 자신의 척도로 삼았다

어느 순간의 마음 속 사랑이 메말랐다
버들붕어는 사랑을 잃어 말라갔다
아수라장의 애처로운 물을 타고
죽음을 자신의 유서로 삼았다

광주리 속 빛나는 찰나라도

주상절리

나는 주상절리다
애련한 나의 상판은 구경거리
나의 마음은 헛된 명승지
유원지의 거른 미관이 될까

두려운 마음에 얽힌 메별의 멍울이 쌓여
마음 곳간의 한 구석은 비감의 쌀포대기가 모인다

나는 주상절리다
어수룩한 내 걸음은 무대예술
연습 못한 불청객 불평판 무대
넋두리의 불만 편지통 될까

메타세쿼이아

큰 키다리 아저씨는 메타세쿼이아
우뚝 솟은 바늘잎은
공허의 내 마음을 찔러댔다
삼 녀니 지난 미성숙의 나무는
연못의 습한 열기를 마셔주고
나의 마음의 한 구석을 데우는
영원한 친구였다

였다, 과거형의 나무였다
영원한 건 머릿속의 회상하는 추억뿐
나뭇잎조차 썩어 흙에 안착했다

이다, 현재형의 후회이다
영원한 건 바보 같이 기다려주는 나
그러다 나는 썩어 네게 우짖었다

광주리 속 빛나는 찰나라도   30

오매불망

나는 일편단심의 말뚝이야
나의 가지에 달린 것은
연약한 나뭇잎이 나니 열렬한 정열
너를 잊으려는 나를 태워서
망해의 그림자조차 남지 않게
재를 다시 태워 반도를 순람할래
너에게 내가 흔적기관일 뿐이라면
길거리의 가로수의 턱잎보다 못한 존재라면
고향을 떠나 가까운 천해에 떠다닐래
언젠가 나의 마음에 다시 새들어 살 수도 있으니까
나는 일편단심의 말뚝이야

불면증

짚더미 위에서라도 폭 자고 싶었다
어떠한 누추한 곳에서라도
추라한 나의 졸음을 재우기 위해서

밤은 나의 아침이였고
태양의 안녕은 불면의 인사였다

사랑을 재워서라도 폭 자고 싶었다
어떠한 당신의 마음에서도
피로한 나의 마음을 식히기 위해서

꼬꼬지 추억

아주 먼 옛날에는
티끌조차 눈발에 섞이지 않은
순결한 손길이 지구를 붙잡고
겨울의 온기를 불어넣었다

그러면, 시내의 사람들은
오순도순 이야기를 나누며
이모저모 인생살이 나누며
하루의 온기를 불어넣는다

꼬꼬지의 계곡 물은
구름의 빗줄기가 되던 시절이었고
아름다운 우리 둘은
추억의 엑스트라 되던 시절이었고

요구르트

우유는 너무 고소하다
애틋한 마음이 과분하여
내 마음조차 녹였다

요거트는 너무 묽다
가벼운 사랑이 소홀하여
내 마음조차 좁혔다

그런 극적인 사랑을 헤치고
나의 마음을 사로잡은건
너무 묽지도, 고소하지도 않은
요구르트였다

귀에 구멍을 뚫자

귀는 겉모습이 제일 기괴하다
신생아의 고요한 진실함을 비추는 거울이다

그런 귀를 가리고자 구멍을 뚫는다
금을 걸고 은을 걸어 장신구를 달아 꾸민다
진실을 숨기고 아름다움을 추구한다

아름다움으로 사람의 육체가 안으로부터 타
면
결국 한 사람은 껍데기가 되어버린다
귀에 걸린 장신구 하나가 사람을 잡아먹는
다

사랑 상실 회상   35

뻐꾸기

진정한 사랑의 둥지에서 쫓겨나
다른 내가 자라게 된다면 말이지

어느 날 둥지에서 태어나 나는
주변의 자리를 비좁게하는
아기새를 담은 알들을
밀어 사랑을 독차지해야지

둥지 안의 넓은 공간에서 나는
사랑의 자리를 비좁게하는
다른이를 품은 알들을
밀어 애정을 뺏기게해야지

리시안셔스

저기 혹시 시간 되신다면
저와 함께 하시지 않겠어요?

몇년 전부터 바라본 당신의 모습에
매료당한 나의 눈빛을 바라봐주세요
진정한 사랑의 포도주가 떨어지고
손목은 리시안셔스로 뒤덮여 있어요

혹시라도, 거절 하신다면
꽃을 꺾어 벼랑 아래에 띄울게요
어느 날 유람선에 탄 당신이
그 꽃을 주울 때가 오길 바라며

회고록

인생의 회고록은 너무나도 짧다
철자의 합은 1리의 길도 채우지 못한다
백년의 백발 인생
하얀 유골이 되는 것이다

그런 인생에서 배운 점
유흥을 즐겨라가 아닌 현실을 즐겨라
정신이 육체를 지배하지 않도록
사랑이 이성을 붙잡게 하도록

인생의 회고록은 너무나도 짧다
추억마저 기억에서 잊혀 무덤과 함께 묻힌다
1만광년의 1광년도
이미 죽기로 되는 것이다

물낯모습

물에 비친 나의 모습이 너무 싫다
못난이 표정을 한 나의 얼굴
마치 우물 속 개구리의 심정을 담은
철없는 어린아이의 울음을 담은

이목구비 모든 모습이 너무 싫다
작은 동공을 지닌 단추눈
마치 세상 속 미아들의 마음을 담은
애정결핍의 때 없는 집착을 담은

상사병

안개꽃이 필 때 즈음에 나를 기억해주세요
저 바다 너머 떠밀려나간 당신을 내가 기억하듯

강아지풀 꺾듯 한풀 숙여버린 추억들도 같이
난초가 무성한 정원에서 나눈 사랑의 흔적들도

청초 같던 우리의 청춘이 사랑이었던 순간들이
이제는 액자 속 한 장의 종잇조각에 그치지 않듯

저 절벽 암석의 자리를 굳건히 지키는 돌부채 같이
물망초를 주며 우리가 영원하길 바랐어도

생로병사

태생의 운명으로 생사의 그늘이 드리우고
세포의 활성화가 늦춰져 몸에 신선하 바람이 불어온다

저 연약한 육체에 병이라는 고통이 찾아오고
끝내, 死라는 죽음의 의미가 육체를 지배하게 된다

하찮은 모래 한 알이 유리가 되어 저 창틀이 되고
언젠가 다시 깨지고 깨져 모래알이 된다는 것이 억울해

저 누군가에게 태어나 스스로 죽게 된다는 것
무언가의 끝을 이루기 위한 것이 시작이란게 슬퍼

저 꽃을 조성한 숲을 바라다보아도 풀리지 않아
오늘도 구름 위 유리구슬을 눈에서 흘립니다

개벚지나무 아래 너와 나

시골 개울가의 물이 흘러내리는 집마당
서글서글한 눈매에서는 불로초가 핀다
저 바다의 청량함도 서글픈 소리를 낸다

저 내리쬐는 달기운 아래 입꼬리 올리는
나를 보며 너는 시골처녀의 맑은 눈을 가졌댔지
시골 개울가에 쭈그리고 앉아 물 만지는 손
밀짚모자 머리에 쓰고 우렁이 잡으러 가는 순수한
처녀

몽유병

잠자는 사이 이부자리가 엉망입니다
발길질을 한 모양입니다
꿈에 그이가 나와 나를 꼭 안아주면
현실의 자아가 눈물을 흘립니다
손을 잡고자 뻗으면 허공의 공기를 잡고
안타까운 심정은 마음의 뿌리에 얽힙니다

어느 날 서랍의 꽃병이 깨져 있습니다
꿈 속에서 그이와 싸운 모양입니다
다행입니다, 꿈에서 그이가 맞지 않은 것에 대해

어느 날 거울 앞을 보니 눈가가 서늘하게 비칩니다
꿈 속에서 그이가 나를 죽였습니다
다행입니다, 그이를 오늘도 만났다는 행복감에

사랑 상실 회상   43

죽음의 동전

동전을 던집니다
앞면은 인생 뒷면은 죽음

우리의 인생의 뒷면은 죽음입니다
죽음은 우리의 뒤를 졸졸 따라오며
누구보다 가까이 있습니다

그러다 동전이 뒤집혀 떨어지게 되면
우리는 급작스레 공연의 막을 내리며
주마등을 머리에 스칩니다

동전을 던집니다
앞면은 인생 뒷면은 동전

광주리 속 빛나는 찰나라도

난독증

나는 사랑의 표현을 글로 볼 수 없어요
걱정이 당신을 괴롭히는 순간에
나에게 메시지를 보내도
고개를 갸웃거리며 곡해하는 나는
그저 못난 멍청이지요
그래도 서로 통하는 순정은
열렬한 바다의 푸른 눈물이겠지요

무궁무진한 표현 대신 간결한 말 한마디가
나에게 꽃다발로 전해오는 이때에는

우생학

사람에게 가치가 딸려옵니다
양심과 사랑의 무게가 저울을 기울입니다

그러다 자신의 심장이
저 선한 자보다 무겁다면
어느 날의 존재는 하나의 원소가 됩니다

사람은 점점 의미를 잃고 사라지다
마지막 인류는 끝내 자신의 의미를 버티지
못해
인간의 대를 끊게 됩니다
사람 무더기 속 포근한 자리에 이끌림 받으
며

감정매매

사랑은 쓸모 없는 감정이다
비애도 순수한 사랑도
한 날의 말라가는 물웅덩이다

어쩌다 내리는 비에 갈증을 채우다가도
가뭄의 질병 신잘리는 아픔 겪고
또 다시 의미 없이 상처의 쓰라림과
흉진 팔꿈치를 잡아 일어섰다

그러다 또 넘어지고 다치며
나의 육체덩어리는 서서히 형태를 잃고
결국 남은건 심장 속 감정
삼정의 상품이 되어 팔리게 되었다

사랑 상실 회상   47

희소성

처음 너가 본 나는 새로운 광물을 품었겠지
이때까지 본 적 없는 오묘한 색

그러다 캘수록 익숙한 모양과
도돌이표 광질의 반복은
점점 실의에 찬 푸른 얼굴을 내어
나의 광석을 녹여버리겠지
그러면 너는 나를 버리고 떠나
버려진 폐광과 새로운 동굴을 찾겠지

그렇게 된다면 나는 나를 먹어치워서
영원히 세상에서 사라질거야

광주리 속 빛나는 찰나라도   48

항아리

겨울 날 메주가 추위를 타면
아래 묵은지를 담은 항아리가 우뚝 서있다
사시사철 맛난 성의를 대접하여
당신에게 행복한 추억을 주고자

한낮의 햇살을 받는 항아리는
자신의 살갗을 태우면서
불만 한번 표하지 않고 버틴다
당신에게 특별한 존재로 기억되고자

사랑 상실 회상

저주 자판기

어느 날 자판기에서 사랑을 뽑았다
뚜껑을 따고 마시는 그 순간
어떤 음료보다 달았다
탄산은 혀를 마비시켜 무엇도 잊게 했다

그러다 어느 날 음료를 뽑으러 가자
그 자리의 자판기는 사라지고
작은 쓰레기통이 홀로 서있었다
홀홀히 사라진 너는 무엇도 대신할 수 없었다

광주리 속 빛나는 찰나라도

인간의 몸은 70퍼센트가 물

한 남자가 서핑하러 바다로 떠납니다
바다는 언제나 은은한 파도를 내뿜고
사람을 기다립니다
사람의 몸은 70퍼센트가 물이라
자신을 언제나 바다에게 내줍니다
바다도 언제나 사람을 기다립니다
한 때 사랑하는 연인이 마주하듯
서로 반기며 재밌는 보따리를 풉니다
그러다 남자가 바닷물을 스쳐
해변가의 모래사장으로 발을 보내면
바다는 아쉬운 듯 얕은 파도를 보냅니다
마지막 부드러운 손길을 내밀듯

사랑 상실 회상   51

멍든 사과

어느 날 아버지가 사과를 깎아주셨다
깨끗한 모습이 아닌 멍든 사과였다
온전한 노란빛을 단 사과와
같은 트럭을 타고온, 멍든 사과

괜시레 나의 마음이 미어졌다
멍든 사과가 내 마음 같이 느껴졌다
새하얀 푸른빛의 내 마음과
같은 시련을 겪고 온, 멍든 것들

호박돔

언제 책에서 호박돔에 대하여 본적이 있습
니다
신기한 이름을 검색해 찾아보니
과연, 지느러미에 호박 빛이 돌더라고요
그런데 호박돔에 대한 이름은 무언가 슬프
게
분명 이름에는 돔이 들어가는데
돔에 속하지 않는다고 하더라고요
그래서 우리나라 암초 쌓인 모래사장 주변
에
자신을 숨기고 누군가 기다리며
매일을 지내나 봐요
이름은 자신을 속이는 가면일 뿐이니까

플로스

나의 시에서 종종 나온 아름다운 자태는
바다의 벼랑 끝과 우림의 무성함을 꾸며줍니다

애꿎은 상처 먹었던 마음을 위로하고
향기로운 자신을 꺾으며 희생합니다
산들바람에 나부끼는 하나의 팔레트
위계질서란 무엇인지 잊게하는 서로의 배의
하루의 무난함을 고개 숙여
자연에게 백배사례하는 순수한 모습

나의 시에 우아한 것들이 나온 이유는
세상의 순결함을 빗대어주는 거울이기 때문입니다

광주리 속 빛나는 찰나라도   54

푸에르

라틴어는 마치 비유의 상징
무언가의 단어에 오묘한 의미를 붙힌다
뜻을 받은 글자는 활기가 살아난다
숫자 7의 행운을 본뜬 모습
그렇게 소년은 빛나는 존재가 되었다

자신의 짝은 이웃집 소녀
마치 고전의 공주와 왕자의 이름을 딴
가위의 두 날과 같은
박수를 치는 두 손바닥 같은
하나 없이 무언가를 할 수 없는 짝이 되었다

사랑의 철학

철학은 깊은 학문이다
유서 깊은 집안에서 태어나든
무위무능의 도태된 사람이든
태생이 같은 사람이라는 까닭으로
모두를 감싸 안아준다

사랑은 깊은 철학이다
너가 어떤 상황에서 나를 보든
무지몽매의 멍청한 인간이든
너라는 존재 자체만으로 사랑하여
너만을 보며 웃어준다

괴물

동화의 괴물은 미움을 삽니다
날계란은 둥글지만 맞으면 뾰족합니다
이웃나라 공주는 아름답던데
자신을 이룬 뿔은 7대 죄악입니다

나는 사회에서 불청객입니다
겉모습은 밍밍하고 마음을 울퉁불퉁
연예인의 미소는 우아하던데
반면 나의 웃음 한 번도 오합지졸

괴물과 나는 서로 비웃습니다
서로를 비추는 거울이 서로를 경멸하다니
참 재밌는 옛날 이야기입니다

사랑 상실 회상

시인의 말

나는 그저 글을 쓰는 사람일 뿐입니다. 또한, 어린 15살에 시를 쓰는 시인이기도 합니다. 고사리 손으로 써낸 어린 날의 일기가 성인이 되었을 때 창피가 되지 않도록 그저 성장의 한 단계가 되어 나를 달래주고 위로할 수 있기를 바랍니다.

15년, 100년을 살 수 있다 외치는 사회에서 20% 조차 채우지 못한 어린 나이입니다. 나무로 치자면 묘목이 자라 가지를 조금 뻗을 때로 보기가 좋겠네요. 미성숙하지만, 자라기 때문에 기대를 품고 희망을 가지는 시기. 그 사이에서 나는 수많은 감정 중 사랑이라는 오묘한 것에 대해 시를 씁니다.

광주리에 담겨온 음식들이 입에 맞으실지는 제가 알 수 없지만, '광주리 속 빛나는 찰나'가 여

광주리 속 빛나는 찰나라도

러분의 식은 마음을 안아주고 보살피는 안식처
가 되었기를 간절히 소망합니다.

-2023. 02. 13 공효원이 글을 마치며-